CHARADINHAS

NATUREZA

Ciranda Cultural

NATUREZA

1. Qual a flor que gosta de futebol?

2. Qual a parte mais saudável do Universo?

3. O que corre e corre, mas nunca se cansa; desce a montanha, mas subir é façanha?

4. Quem sabe falar qualquer idioma do mundo sem nunca ter ido à escola?

5. O que cai e nunca se machuca?

6. **Quem some todas as vezes que acendemos a luz?**

7. O que visita a casa todos os dias?

8. O que é mais leve do que uma pena, mas nem mil homens podem carregar?

RESPOSTAS: 1. A flor-do-campo. 2. A Via-láctea. 3. O rio. 4. O eco. 5. A neve. 6. A escuridão. 7. O dia. 8. Um buraco.

9. **Quem entra no dormitório da rainha sem pedir e sem bater à porta?**

10. O que treme a cada movimento do ar, mas os maiores fardos sabe suportar?

11. Quem tem o péssimo hábito de entrar pela janela?

12. Enquanto come, vive. Quando bebe, morre.Quem é?

13. Quem tem mania de deformar o corpo alheio?

14. O que a gente mata quando espera?

RESPOSTAS: 9. O raio de sol. 10. A água. 11. O vento. 12. O fogo. 13. A sombra. 14. O tempo.

NATUREZA

15. Há uma coisa que nada é e, apesar disso, tem nome. Às vezes alta, às vezes baixa, bate bola, corre...e nos acompanha pela vida afora. O que é?

16. Ela sobe o morro, ela desce para o mar. E apesar de tudo, não sai do lugar. O que é?

17. O que é alaranjado, mas deixa rastros pretos?

18. O que depois de cheio não se vê?

19. **Por que os oceanos não merecem confiança?**

20. O que a gente sente, mas não vê?

RESPOSTAS: 15. A sombra. 16. A estrada. 17. O fogo. 18. O buraco. 19. Porque eles gostam de fazer onda. 20. O vento.

21. O que come, bebe e respira, mas não pode andar?

22. O que é carregada, está carregada e descarregada?

23. Quem faz a alegria dos oceanos?

24. O que quanto maior, menos é vista?

25. **Quem fica aguado com o calor?**

26. Qual o maior verso que existe?

RESPOSTAS: 21. Árvore. 22. Uma nuvem de chuvas. 23. O peixe-palhaço. 24. A escuridão. 25. O gelo. 26. O Universo.

NATUREZA

27. O que sempre muda de aparência sem precisar ir ao salão de beleza?

28. O que não se vê, não se pode pegar, mas ainda existe?

29. O que vive quieto e quando morre começa a fazer barulho?

30. **Por que o outono é o melhor tempo para uma pessoa preguiçosa ler um livro?**

31. O que há em todas as estradas asfaltadas?

32. O que entra na água, mas não se molha?

33. O que entra na água sem se molhar e sem esfriar?

RESPOSTAS: 27. A Lua, que sempre muda de fase. 28. O vento. 29. As folhas. 30. Porque o outono faz virar as folhas. 31. Asfalto. 32. A sombra. 33. O Sol.

NATUREZA

34. O que são um lençol muito grande que não se pode dobrar, uma porção de dinheiro que não se pode contar e um queijo muito duro que não se pode cortar?

35. O que pode encher uma casa, encher um quintal, mas não pode ser apanhado em punhado na mão?

36. Quais são as duas coisas que caem num lago parado e não fazem mexer suas águas?

37. **Por que o buraco cruza a montanha?**

38. O que nasce em pé e corre deitada?

39. O que desce e não sobe?

RESPOSTAS: 34. Céu, estrelas e Lua. 35. A fumaça, o ar ou a neblina. 36. A luz do sol e o luar. 37. Porque ela não pode passar por baixo dele. 38. A chuva. 39. O poço.

NATUREZA

40. O que é capaz de subir e descer sem se mover?

41. O que é bem colorido e ninguém pode tocar, por mais que tente?

42. **Qual a única coisa que detém uma queda de cabelo?**

43. O que é o petróleo antes de ser extraído do solo?

44. O que gasta sapatos sem ter pés?

45. O que é escuro, mas é feito pela luz?

RESPOSTAS: 40. A temperatura. 41. O arco-íris. 42. O chão.
43. Um segredo guardado no fundo do poço. 44. O chão.
45. A sombra.

46. O que entra por qualquer porta, passa por qualquer buraco, entra por qualquer janela, mas nunca deixa um rastro?

47. O que deixa um homem sem perspectiva?

48. **Por que podemos dizer que nossa sombra é prudente?**

49. Onde o mar descansa quando se sente exausto?

50. O que é invisível e intocável, mas essencial e que não pode ser ignorado?

51. Qual a queda que não tem consequências?

52. Por que o fogo não consegue fazer amigos?

RESPOSTAS: 46. A brisa. 47. Um nevoeiro. 48. Ela nunca nos acompanha no escuro. 49. Nos bancos de areia. 50. O ar. 51. A queda-d'água. 52. Porque ele queima todo mundo.

NATUREZA

53. O que, na terra, é sentida em todos os lugares; em cada lugar só existe uma; muda sempre de feição; e comporta dois opostos?

54. Qual é o cúmulo da suavidade no inverno?

55. O que pode ser bem alta e servir de casa para muitos, 'mas não é um prédio?

56. Qual o mais antigo assobiador do mundo?

57. Qual a lua que passa e não volta mais?

58. Como uma pedra pode ficar em cima d'água?

59. **O que de fato não fede nem cheira?**

60. O que é uma certeza ao meio-dia?

RESPOSTAS: 53. A temperatura. 54. A neve cair silenciosamente. 55. A montanha. 56. O vento. 57. A lua de mel. 58. Sendo uma pedra de gelo. 59. O ar. 60. É uma certeza sem sombra de dúvidas.

61. O que embora baixo e sujo, sempre buscamos o seu apoio, qualquer que seja a nossa direção de vida?

62. **O que corre o mundo todo e entra em todas as casas sem pedir licença?**

63. O que vai de um lugar a outro, mas não se move um centímetro sequer?

64. O que quanto mais alta, mais fácil fica de se apanhar?

65. Qual a flor que mais se alimenta?

66. Quando chega o escuro, para onde vai a luz?

RESPOSTAS: 61. O chão. 62. Os raios de sol. 63. A estrada. 64. A água do poço. 65. Copo-de-leite. 66. Não vai, fica onde está.

NATUREZA

67. Existem quatro irmãos no mundo: o primeiro corre, mas nunca se cansa; o segundo come, mas nunca está satisfeito; o terceiro bebe, mas nunca está repleto; o quarto canta, mas seu canto, às vezes, não é agradável ao ouvido. Qual o nome deles?

68. O que mais colabora para as nossas quedas na vida?

69. Qual o ponto do mundo em que não há descida, somente subida?

70. **O que pode contornar a Terra sem ser foguete?**

71. Por que não pode chover dois dias seguidos?

72. Quem é o dono da horta?

73. O que nasce verde, vai ficando com tom castanho quando mais velha e fica avermelhada no fim da vida?

74. O que pode passar pelo Sol sem fazer sombra?

RESPOSTAS: 67. Água, fogo, terra e vento. 68. A gravidade. 69. O centro da Terra. 70. A Lua. 71. Porque há uma noite entre eles. 72. Seu Vagem. 73. Grãos de areia. 74. A folha de uma árvore.

75. O que é menor que o mar, mas, quando se junta a ele, fica do mesmo tamanho desse astro?

76. O que produz um barulhão mesmo sem ter boca?

77. O que sempre está sobre nossas cabeças e não conseguimos tocar?

78. O que não tem mãos, mas sai se agarrando em tudo quando cresce?

79. O que só morre depois que devora tudo?

80. **Qual a planta com a qual é impossível de se conviver?**

81. Por que a água foi presa?

82. O que voa eternamente e não se cansa?

RESPOSTAS: 75. A gota d'água. 76. O trovão. 77. As estrelas. 78. Uma planta trepadeira. 79. Fogo. 80. Comigo-ninguém-pode. 81. Porque matou a sede. 82. O tempo.

NATUREZA

83. O que sempre nos segue e de que só conseguimos nos livrar quando estamos na escuridão?

84. Quando é que se enxerga a luz do sol à noite?

85. Qual o pé que está sempre molhado?

86. Qual o nome do cachorro que gosta de cavar túneis na terra?

87. O que é um pontinho vermelho na árvore?

88. **Qual o pé mais rápido?**

RESPOSTAS: 83. A sombra. 84. Quando vê a Lua. 85. O pé-d'água. 86. Fura-cão 87. Um morango-tango. 88. O pé de vento.

89. Por que as plantinhas não podem ir ao hospital de madrugada?

90. Quem é o mal-educado que bate no seu rosto e você não enxerga?

91. Quando se pode fazer uma Lua dançar?

92. O que cai do alto e não se machuca?

93. Qual lençol você não pode dobrar?

94. Por que a planta não fala?

RESPOSTAS: 89. Porque só há médicos de plantão. 90. O vento. 91. Atirando-se uma pedra na Lua, quando refletida na água. 92. A chuva. 93. O lençol d'água. 94. Porque ela é uma mudinha.

NATUREZA

95. O que tem boca mas não come, tem leito mas não dorme, tem corrente mas não é preso?

96. O que começa na mata, vai à ponta da nuvem e termina no jardim?

97. **Qual a parente que protege da garoa e da chuva?**

98. Qual o animal capaz de cruzar um rio inteiro com um boi na boca?

99. O que é um pontinho preto na neve?

100. Quem é maior de idade, a Lua ou o Sol?

RESPOSTAS: 95. O rio. 96. A letra "M". 97. A sombrinha. 98. O carrapato. 99. Um pinguim. 100. A Lua, porque ela pode sair à noite.